영포자에서
영어멘토까지

5개월간의
공부법

네스 지음

토미 TOP MENTOR 소속

영어가 '걸림돌'로만
나에게 다가오는 것처럼
느껴질 때

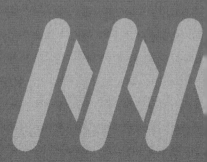

줄기 빛이 되어줄 영어 공부법

혼자서 하기는 어려운 방법이긴 하지만
명한 건 혼자서도 할 수 있습니다."

문 14p 중에서>

- 티끌모아 태산

- 영어와 한 약속

- 만학도가 되어 방학숙제 하기

6. 동기부여가 떨어져요

- 사람은 잘 안변해요

- 다시 처음으로 돌아가서

- 저 사람은 빨리 느는데 전 늘지 않아요.

- 진짜 용기 있는 사람들은

7. 책 다 읽었으면 가서 공부하세요

- 이거 하나만 기억하세요

PART 1

작가소개

영포자에서 영어멘토까지

저는 한 대학생이자 직장인으로, 영어의 장벽 앞에서 많은 어려움을 겪어왔습니다. 대학 생활이나 취업 과정에서 영어라는 거대한 벽이 제 길을 막았고, 그로 인해 저는 자신을 제한하고 싶지 않았음에도 불구하고 영어를 피해왔습니다. 외국인과 대화하는 것이나 영어 관련 활동에 참여하는 것은 거의 불가능한 일이었습니다. 그러나 어떤 우연한 계기로 유학을 고려하게 되면서, 제 삶에서 포기했던 영어 공부를 다시 시작하게 되었습니다.

많은 분들이 제 상황과 유사한 어려움을 겪고 있을 것이라고 생각합니다. 영어를 배우려 하다가 포기하는 일은 쉬운 일이 아닙니다. 저 역시도 여러 차례 포기와 재도전을 반복하며 격렬한 싸움을 벌여왔습니다. 처음에는 일 년이라는 시간이 넉넉해 보였지만, 실제로 목표한 수준까지 도달하는 데는 예상치 못한 노력과 시간이 필요했습니다. 그 과정에서 하나의 진리를 깨닫게 되었습니다. 영어 학습은 단순한 학문적인 습득만이 아닙니다. 영어를 정복하는 데에는 창의적인 접근과 다양한 학습 방식이 필요합니다.

예를 들어, 저는 처음에는 단어장을 외우고 문법 규칙을 암기하는 전통적인 방식을 시도했습니다. 하지만 이 방식은 저의 동기를 떨어뜨리고, 영어 학습에 대한 흥미를 상실하게 했습니다. 그때 우연히 한 영어 학습법을 알게 되었고 진행했습니다, 이 학습 방법은 실제로 영어를 대화할 수 있게 도와주면서 다양한 주제를 다루었습니다. 이런 식의 자연스러운 대화를 통해 영어를 익히는 것은 제게 맞는 방식이었습니다.

1년의 준비 기간을 거쳐 유학을 떠나게 될 기회를 얻었지만, 실제로 유학을 다녀오지는 않았습니다. 그럼에도 불구하고, 이 모든 경험과 성취를 통해 얻은 지식을 다른 이들과 공유하고자

이 책을 쓰게 되었습니다. 영어를 어려워하는 분들이 더 이상 고독하게 느끼지 않도록, 제가 겪은 어려움과 극복법을 공유하며 도움이 되고자 합니다.

지금은 제가 영어를 배우는 과정에서 만난 멘토 분께 감사의 마음을 전하며 이 책을 마무리하고자 합니다. 제 이야기를 통해 영어를 배우려는 분들에게 희망과 용기를 전달하고 싶습니다. 영어를 통해 새로운 세계를 만나고, 어려움을 극복하는 일은 저만의 경험일 뿐 아닙니다. 저와 같은 고민과 어려움을 겪는 분들에게 힘이 되어줄 이 책이 되길 바랍니다.

PART 2

영어를 공부하기 전에
이유가 필요하다고?

영어는 이제 더 이상 미국 말이 아니야

많은 이들이 영어 공부를 시작할 때, 보통 가장 먼저 하는 행동은 단어책이나 문법책을 구입하는 것입니다. 이제 우리는 그저 단어를 외우고 문법을 공부하여 나만의 영어 지식을 쌓아나가기 시작합니다. 그러나 영어를 공부하는 근본적인 이유와 목적을 정확하게 이해하고 시작하는 것과, 단순히 공부 도구에만 초점을 맞춰 공부를 시작하는 것 사이에는 큰 차이가 있습니다.

이보다 더 깊이 들어가보면, 영어는 이제 더 이상 미국의 언어가 아닙니다. 영어는 이미 전 세계적인 공용어로 사용되고 있는데요. 국가 간 외교에서부터 초등학생들이 배우는 코딩까지, 다양한 분야에서 영어는 중요한 역할을 하고 있습니다. 영어는 이전과는 달리 다양한 분야에서 활용되며 정보를 공유하는 도구가 아니라, 글로벌 커뮤니케이션의 핵심 언어로 자리잡았습니다.

과거에는 외국인과의 소통이나 국제 사업을 위해 영어를 배우는 경우가 많았습니다. 그러나 지금은 영어가 우리의 일상에 밀접하게 녹아들어 있는 시대입니다. 이런 변화를 이해하지 못하는 사람들은 영어 공부에 접근하는 방식이 다르기 마련입니다. 예를 들어, "여행을 위해 영어를 배우고 싶어요!"라고 말한 사람 중 많은 사람들이 시작하자마자 포기하는 경우가 있습니다. 그 이유는 영어가 세계적으로 중요한 언어로서의 역할을 제대로 이해하지 못하기 때문입니다. 그렇게 되면 영어를 사용하여 다양한 경험을 쌓을 수 있는 기회를 놓치게 됩니다.

또 다른 사례로는 "제대로 된 유학을 하고 해외에서 성공하고 싶습니다."라는 목표를 가진 친구를 예로 들 수 있습니다. 이 친구는 아직 대학생이지만 원어민들의 문서를 번역하고 처리하는 일을 부업으로 하며 영어 실력을 활용하여 돈을 벌고 있습니다. 영어를 통해 새로운 기회와 경험을 얻는 것이 그를 성공으로 이끌었습니다.

저 또한 영어 애호가 중 한 사람이었습니다. "1년 내로 영어를 완벽하게 배워 원하는 분야에서 성공하고 싶다. 영어 때문에 더 이상 실패하고 싶지 않다. 영어를 열심히 공부하여 성공하자!"라는 목표를 가지고 노력했습니다. 영어 실력을 향상시키기 위해 도움을 받는 것 역시 좋은 방법 중 하나입니다.

학생들에게 내린 슬로건 중 하나는 "돌은 어떤 사람에게는 걸림돌이 되기도 하지만, 또 다른 사람에게는 디딤돌이 될 수 있습니다. 그저 시선만 다를 뿐입니다."입니다. 이처럼 내가 가지고 있는 관심 분야와 영어를 연결시키면, 더 이상 포기할 이유가 없습니다. 이를 통해 영어가 제공하는 무한한 가능성을 이해하게 될 것입니다. 이제 우리는 영어를 통해 미래를 더 밝게 비춰볼 수 있을 것입니다.

그럼 영어가 쓰이는 곳이 어디인데?

저는 화학을 전공 했던 사람입니다 그런데 거의 모든 분야에서 영어가 중요하단 걸 알았습니다. 영어는 정말 다양한 분야에서 필수적인 언어가 되어버렸습니다. 여러분이 이해하고자 하는 분야가 어떤 것이든, 그 분야의 정보, 기술, 연구 결과 등은 대부분 영어로 공유되고 있습니다.

화학분야도 마찬가지입니다. 많은 최신 연구, 논문, 학술지 등이 영어로 작성되고 게시되며, 이를 이해하고 활용하려면 영어실력이 필요합니다. 화학에 대한 심화 지식을 얻기 위해서라면, 영어로 된 자료와 정보에 접근할 수 있는 능력이 꼭 필요한 것이죠.

또한 기술적인 분야에서는 영어가 어떤 의미인지 더 크게 나타납니다. 코딩, 컴퓨터 과학, AI 등은 모두 영어를 기반으로 하는 분야입니다. 프로그래밍 언어의 키워드나 문법 등도 영어로 이루어져 있고, 이를 영어로 이해하는 것이 중요합니다. 또한 IT 분야에서 영어로 된 문서를 통해 다양한 기술 정보를 얻고, 커뮤니케이션을 통해 다른 개발자와 협업하는 데도 영어가 필요합니다.

그리고 지금의 디지털 시대에서는 영어가 전 세계적인 커뮤니케이션의 표준 언어로 자리잡았습니다. 인터넷의 정보 대부분은 영어로 작성되어 있고, 온라인 커뮤니케이션 또한 영어를 기반으로 합니다. 이러한 정보의 흐름을 놓치지 않기 위해서라도 영어 실력이 필요합니다.

마지막으로, 현대 사회에서는 글로벌 시장에서 경쟁하기 위해 영어 실력이 큰 장점이 됩니다. 영어로 소통하고 다양한 국가와의 네트워크를 구축하는 것은 비즈니스 활동에 있어서 매우 중요한 부분입니다. 경제, 비즈니스, 금융 분야에서도 영어의 역할은 더욱 커지고 있습니다.

요약하자면, 여러분의 화학 전공과 관련된 분야에서도 영어 실력은 큰 가치를 가집니다. 영어로 된 정보를 이해하고 활용하며, 다른 전문가들과 소통하며 발전하는 데 도움이 됩니다. 당신

의 열정과 목표에 따라서 영어 공부를 통해 더 넓은 지식과 기회
를 얻을 수 있을 것입니다.

영어를 안 배워도 살만 하던데?

영어를 배우지 않아도 생활은 할 수 있습니다. 이 말은 맞습니다. 현재의 상황에서 만족하고 있다면 추가적인 노력을 들여 나 자신을 변화시킬 필요는 없습니다. 그러나 더 나은 상황을 추구하거나 새로운 정보를 얻고자 한다면 영어는 더 이상 무시할 수 없는 필수 언어가 되었습니다. 음식과 숙소만 확보하면 된다고 생각해도 삶이 완벽한 것은 아니며, 마찬가지로 영어라는 도구가 제공하는 편의성과 삶의 질은 실제로 체험해보아야 합니다. 조금 더 나은 상황을 원한다면 영어를 습득하는 것이 도움이 될 것입니다.

예를 들어, 어릴 때부터 아는 친구가 있었습니다. 이 친구는 공부나 영어에 관심이 없던 사람이었지만 어느 날 갑자기 영어를 공부하기 시작했습니다. 그 결과, 현재는 해외 유학을 마친 외국인 친구보다 더 뛰어난 영어 실력을 갖추게 되었습니다. 이런 영어 습득 경험을 통해 배울 점과 궁금한 점이 많을 것입니다. 이 친구의 사례는 처음 동기는 다르지만, 어려움을 극복하고자 하는 의지는 공통적입니다.

초반에 그 친구가 영어를 배우기 시작한 이유는 간단했습니다. 친구가 어느 날 말했습니다. "외국인 여자친구를 만들고 싶다." "영어 스펠링이 뭔지 알아?" "음, E...N... 글리시?" "대화하려면 여자친구와 재미있게 놀기 위해서야."

처음엔 농담처럼 시작했지만 점점 목표가 현실적으로 구체화되었고, 그에 따라 영어 공부를 시작했습니다. 영어 공부를 시작한 이유가 다르더라도 어떻게든 이겨내려는 의지는 공통점입니다.

주변에 영어를 잘하는 친구가 없었던 그 친구는 영어에 능숙한 사람들을 찾아가기 시작했습니다. 외국인들이 많이 있는 곳인 홍대나 이태원에 가서 자신이 배운 문장을 사용해 대화를 시도했습니다. 또한 어플을 활용해 외국인들과 대화를 시도하며 원하는 말을 번역기를 이용하여 전달하고 적어가며 공부했습니다. 이렇게 점진적으로 노력을 쌓아나가면서 그 친구는 번역기

없이도 대화할 수 있게 되었습니다. 과정 중에는 포기하고 싶은 마음이 끊이지 않았다고 합니다.

그 친구는 영어를 배우면서 어려움을 느꼈지만, 왜 계속해서 공부했는지를 물어보니 "영어는 쉽게 한 번에 배워지지 않는다는 것을 알았기 때문에 단계적으로 익히는 것이 중요하다고 생각했다. 나는 영어에 대해 막 시작한 아기 같은 존재이며, 그걸 한 번에 다 이해하려고 하기보다는 조금씩 익혀가는 것이 당연하다고 생각했다"고 대답했습니다. 이렇게 문장을 쌓아나가고 단어를 더 습득하며, 영어에 흥미를 붙이며 더 빠르게 익히게 되었습니다. 결국, 그 친구는 외국인 여자친구와 소통하며 영어로 싸우고 이기는 실력을 얻어내어 만족스러운 인생을 살아가고 있습니다.

영어를 배우지 않더라도 행복한 삶을 살 수 있습니다. 그러나 영어를 습득하면 세계 각국의 사람들과 대화하고 더 다양한 정보와 생각을 이해하며, 직접적인 수익을 창출할 수 있는 기회도 얻을 수 있습니다. 언어 능력을 가진 사람들은 더 많은 정보와 지식을 확보하고, 자신의 역량을 확장하여 더 나은 삶을 살아갈 수 있습니다.

따라서, 언어는 여러분의 삶을 크게 변화시킬 수 있는 가장 기본적인 도구 중 하나입니다.

그럼 영어를 배우면 뭐가 좋은데?

영어를 배우면 어떤 이점이 있는지에 대해 생각해보겠습니다. 많은 이들이 영어를 배우는 이유는 다양합니다. 여행, 수입 증가, 자기계발 등 다양한 동기가 있지만, 주요한 이유 중 하나는 영어 시험을 통한 공인 인증입니다.

한국에서 취업을 위해서는 영어 능력을 인증받아야 하는 경우가 많습니다. 많은 사람들이 이 인증을 위해 시간과 노력을 투자하고 결과를 얻고 있습니다. 영어 시험을 계획한다면 빠르게 시험을 치루는 것이 좋습니다. 목표가 먼 미래로 갈수록 동기 부여와 재미가 줄어들 수 있기 때문입니다. 그러나 아이러니하게도 많은 사람들이 영어 시험을 위해 공부하다가 원활한 의사소통을 위해 다시 영어를 배워야 하는 경우가 많습니다.

많은 사람들은 시험용 영어와 일상적인 영어를 구분합니다. 하지만 이러한 생각은 어색합니다. 오랜 기간 동안 시험을 통해 변별력을 가지는 것은 사회에서의 필수적인 방법이었습니다. 이러한 시험 결과를 통해 사회에서 원하는 사람과 그렇지 않은 사람으로 분류되어 왔습니다. 그래서 많은 사람들은 자격증을 통해 사회에서 요구하는 능력을 갖추고자 합니다.

4차 산업혁명 시대에는 취업시장에서도 많은 변화가 있었습니다. 예전에는 정형화된 업무를 잘 수행하는 능력이 중요했지만, 지금은 로봇과 자동화 시스템이 이러한 업무를 대체하고 있습니다. 따라서 IT 분야를 비롯한 창의적 업무가 중요해지고 있습니다. 그렇다면 비IT 분야에서는 어떤 능력이 중요할까요?

비IT 분야에서도 취업하기가 어려워지면서, 창의적인 아이디어와 더 많은 사람과 소통할 수 있는 능력이 중요해지고 있습니다. 회사에서 원하는 인재는 현지 시장과 대화하며 문화를 이해하고 제품이나 서비스를 개발할 수 있는 사람입니다. 따라서 다양한 시장에서의 소통과 이해가 필요한데, 이를 위해 영어는 필수 도구입니다.

　영어는 그 구멍을 뚫을 수 있는 훌륭한 도구입니다. 영어로 의사소통하며 다양한 시장을 개척할 수 있는 능력을 갖추면 더 넓은 기회와 정보를 얻을 수 있습니다. 이전과 마찬가지로 정보를 얻지 못하는 이유 하나로 영어의 필요성을 느낄 수 있습니다.

　따라서, 여러분이 영어를 배워나가면서 이러한 이점을 활용하여 더 넓은 세상과 더 다양한 기회를 만들어나가길 바랍니다.

영어가 바꿔준 삶의 방향

저도 한 명의 영포자로써 영어를 포기했던 수많은 이들 중 하나였습니다. 영어는 너무나 어려웠고, 제게는 군더더기 없는 거대한 벽 같은 존재로 느껴졌습니다. 항상 제가 원하는 방향을 가로막았으며 중학교부터 대학원까지 모든 단계에서 영어는 제게 어려움을 안겨왔습니다. 이 언어는 내 인생을 방해하는 요소였죠. 이런 영어의 부담을 피하려면 일자리를 선택하고, 활동을 계획할 때에도 영어가 없는 옵션을 찾았습니다. 그 결과, 제 연봉은 낮았고 평범했습니다. 제 소득은 최저시급과 별 다를 바 없었습니다. 그럼에도 불구하고 대학 졸업 전에 취업한 회사에서는 영어성적을 고려하지 않았기에 제가 입사할 수 있었습니다.

이런 상황 속에서도 영어는 제게 싫증을 주었고, 그 존재 자체를 증오했습니다. 왜냐하면 그 언어가 제 삶에서 제게 의미 있는 것들을 빼앗아가고 있다고 느꼈기 때문입니다. 왜 미국이 세계 공용어를 영어로 만들었을까? 왜 나는 영어를 배울 수 없었을까? 부모님은 왜 나를 영어를 할 수 없게 키웠을까? 이런 자문자답식인 질문과 핑계 더미로 나를 포장하며 영어를 피했습니다.

그런데, 영어가 제게 새로운 길을 열어줄 수도 있다는 생각이 들었습니다. 대학원을 가려면 해외로 나가서 영어로 열심히 공부해야겠다고 생각했습니다. 이때, 한 가지 확실한 생각이 들었습니다. 나는 영어로 된 대화를 할 수 있는 능력을 갖춰야 한다는 것입니다. 그래서 나중에 유학을 가면 어떻게든 영어로 힘들게 노력해서 공부할 수 있겠다는 마음가짐으로 영어를 다시 시작했습니다.

영어를 공부하면서 제게 있었던 가장 큰 변화 중 하나는, 영어를 어떻게 다가가야 하는지를 깨닫게 된 것입니다. 학문이 아니라 언어로서의 영어를 바라보는 시선을 키웠습니다. 고등학교 시절처럼 문법과 단어만 외우기보다는 영어로 대화하는 방식과 문화를 이해하는 것에 집중하였습니다. 중간에는 힘들고 좌절감도 들었지만, 포기하지 않았습니다. 더 나아가기 위해 영어를 공부하며 목표를 향해 나아갔습니다.

한번은 영상을 통해 눈에 띄게 변화한 순간이 있었습니다. 한국 사람들도 영어를 잘 구사할 수 있는 나라였던 과거를 알게 되었습니다. 이런 영상을 통해 제 생각이 완전히 바뀌었습니다. 지금까지의 영어 공부가 잘못된 방법이었음을 깨달았습니다. 교육 방법이 문제가 아니라 다른 방식으로 접근하고 공부하는 것이 중요하다는 것을 알게 되었습니다. 제 친구와의 대화를 통해 더 많은 통찰을 얻게 되었습니다. 그와의 대화에서 영어를 배우는 접근법에 대해 새로운 시각을 얻었고, 영어를 처음부터 다시 배워야겠다는 결심을 하게 되었습니다.

나중에는 영어로 대화를 시도하면서 그들이 주로 사용하는 표현과 패턴을 익히기 시작했습니다. 온라인에서도 영어를 사용하여 소통하고자 노력했으며, 외국인 선생님의 도움을 받아 실제 대화를 해보기도 했습니다. 이러한 노력 덕분에 점차적으로 영어로 표현하는 것에 익숙해졌습니다. 중간에 어려운 순간들도 있었지만, 저의 동기와 목표가 저를 이끌어주었습니다.

마침내, 영어를 배우는 과정이 재미있어졌습니다. 영어를 가르친다는 생각이 아닌 다양한 문화와 사람들과 대화를 나눌 수 있는 것이 즐거웠습니다. 그리고 이제는 더 발전시켜야 한다는 동기부여가 제게 생기기도 했습니다. 지금은 제목은 아니지만 영어로 대화하며 내 생활을 더욱 풍요롭게 만드는 데 기여하고 있습니다. 7개월이라는 기간을 단축하여 목표를 달성한 후, 지금은 많은 학생들을 도와주며 선생님과 함께 사업을 추진하고 있습니다.

이제부터는 영어를 배우는 과정에서 어려움을 겪게 되는 이유와 한국인들이 잘했던 이유, 그리고 여러분이 영어를 공부하면서 마주칠 상황들에 대해 이야기하려고 합니다. 하나의 목표를 가지고 시작하면 여러분도 영어를 넘어설 수 있는 능력을 키워나갈 것입니다.

PART 3

영어를 가지고 싶은데

우리나라 사람들이 사실 굉장한 어학자였다고?

우리나라 사람들이 정말 대단한 어학 역량을 갖췄었다는 이야기를 들어보셨나요? 조선시대에는 말 그대로 모든 사람, 어린이부터 어른까지, 영어에 열광하는 열풍이 불었습니다. 이렇게 열풍이 일었던 배경을 함께 살펴보겠습니다. 19세기 조선은 서구 각국과의 교류와 수교를 빠르게 추진하였습니다. 그러나 처음에는 영어에 능숙한 인재가 부족하여 청나라의 도움을 받아 1882년에 '조미수호통상조약'을 체결하게 되었습니다.

그 후, 방미사절단이 미국으로 파견되어 미국에서 전해온 신문 기사에 감탄한 고종 국왕은 미국을 무강하게 만든 영어 역량의 중요성을 깨닫고 영어 교육에 열을 올렸습니다. 그 결과 '육영공원'이라는 근대식 공립 교육기관이 설립되어 영어로 지리, 수학, 역사 등을 가르치는 학교가 탄생했습니다. 이는 다양한 나라와의 교류에서 언어 역량이 중요한 역할을 했기 때문이었습니다.

이 학교에서는 어린이들 중에서도 나이 어리고 영민한 학생들을 뽑아내어 영어로 모든 과목을 가르치는 '교이영문영어의 원칙'에 따라 교육이 이루어졌습니다. 이에 더해, 영어 교사로는 해외 명문대 출신의 원어민 교사들이 선임되어 영어 역량을 강화시켰습니다.

영어를 습득한 청년 관리들은 서양 문화와 지식을 흡수하여 조선의 현대화를 주도하였고, 조선에서 처음으로 영어를 배운 사람들은 미국에 파견되어 대한민국의 독립을 국제사회에 알렸습니다. 또한, 서양 선교사들이 세운 학교들은 신분과 상관없이 영어 교육을 받을 수 있도록 문을 열어 주었습니다. 심지어 여성들까지도 영어를 배워 출세의 기회를 노려보았습니다.

조선인들의 어학 능력은 영국 영사의 보고서에서도 언급되었던데요. "조선 사람은 동양에서 가장 뛰어난 어학자로 중국인이나 일본인은 따라올 수 없다"는 평가가 내려진 적도 있었습니다.

이러한 열정과 노력으로 인해 조선 사람들은 영어 습득에 능숙했던데요. 다산 정약용 선생님의 '아학편' 역시 영어 교재로 활용되어 당시에는 다른 동양 국가보다 빠르게 영어를 습득할 수 있었습니다.

그러나 1905년 을사늑약 체결 이후로는 영어 교육이 어려워지는 상황에 처하게 되었습니다.

영어를 못하는 건 내가 지금까지 안되는 방법으로 배워서라고?

영어를 잘 하지 못한 이유가 바로 제 지금까지의 학습 방식 때문이었던 건 아닐까요? 이전까지 우리가 사용해 온 영어 학습 방법을 한 번 생각해보겠습니다. 주로 시험 대비로 스크립트를 암기하거나 문제 해결 스킬을 익히는 데 시간을 보냈습니다. 시험 유형에 맞게 연습하고 문제를 해결하는 방식이 전형적인 학습 방법이었죠. 물론 이러한 방법들이 영어 학습에 아무런 도움도 주지 않았다는 것은 아닙니다. 열심히 노력하고 결과를 얻을 수 있었습니다. 그런데 이러한 학습 방식으로는 대화를 나누기에는 부적합했다고 생각합니다.

우리가 이런 학습 방식을 택했던 이유는 무엇일까요? 역사를 거슬러 올라가면 일제강점기에 우리 문화가 어떻게 변화했는지를 알 수 있습니다. 일본은 우리 나라를 병합하기 위해 문화를 억압하고 없애려는 시도를 했습니다. 그때 일본은 전쟁 중이었고, 적국의 암호를 해독하고 첩보 정보를 신속하게 일본어로 번역해야 했던 상황이었습니다. 따라서 영어와 일본어 간의 번역 작업이 필요했습니다.

이런 상황 때문에 우리 사람들은 일본식 영어 교육을 받았던 것으로 생각합니다. 빠른 영어 읽기와 해석, 그리고 일본어로 번역하는 능력을 키우기 위해 노력했으며, 이런 능력을 갖춘 사람들이 필요했습니다. 그래서 우리는 일제강점기의 일본식 영어 교육을 받게 되었습니다.

이 당시 정착된 영어 교육 방식이 지금까지 이어져왔고, 이를 배운 세대들이 현재 영어를 공부하려는 분들이 되었습니다. 현재 교육 과정에서는 회화 수업과 원어민 교사를 활용한 영어 교육이 강화되고 있으며 정부에서도 이런 방법의 필요성을 인지하고 있습니다. 그러니 이제 여러분도 변화가 필요한 시기입니다.

우리가 지금까지 배운 영어 교육은 대화를 하고 소통하기 위한 것이 아니라 단순히 빠르게 읽고 해석하는 능력을 기르기 위한 것이었습니다. 따라서 언어 습득의 과정에서 다른 순서로 영어를 배우고 있다고 볼 수 있습니다.

언어 습득의 과정은 크게 네 단계로 나눌 수 있습니다. 태어나기 전부터 어머니의 뱃속에서 부모님의 대화 소리를 듣고 자라는 단계가 있습니다. 그 후에 태어난 아이는 '엄마'라는 단어를 약 3000번 정도 듣고 '엄마'라는 말로 의사소통을 시작하게 됩니다. 즉, 듣기 능력을 먼저 익히는 것입니다. 그 다음으로 간단한 단어를 결합하여 문장을 만들어 의사소통을 합니다. 그리고 문장을 더 길게 만들어 나가며 의사소통 능력을 향상시킵니다.

하지만 우리가 배운 영어 공부는 듣기 능력에 충분한 시간을 투자하지 않고 읽기 능력에 집중한 것이었습니다. 알파벳 소리를 제대로 익히지도 않고 바로 본문을 외우고 시험을 보기 시작했습니다. 이렇게 '읽기'에 치우친 방법으로 영어를 학습하면서 대화 능력은 뒷전이 되어버렸습니다.

따라서, 대화를 중심으로 학습하고 소통 능력을 키울 수 있는 방법을 찾아서 공부하시면 현대 사회에서 요구되는 영어 능력을 더욱 효과적으로 갖출 수 있을 것입니다.

영어를 배우기 전에 가장 먼저 배울 언어가 있다고?

영어를 배우기 전에 가장 먼저 습득해야 할 언어가 있습니다. 이 언어는 역사적으로 가장 오래된 언어 중 하나로, 세계적으로 가장 널리 사용되며 인류의 발전과 소통을 위해 필수적인 언어입니다. 이 언어는 곧바로 여러분들이 이미 알고 있는 "바디 랭귀지"입니다.

사람들은 정보를 전달하고 의사소통하기 위해 대화를 합니다. 이 대화에는 언어적인 표현뿐만 아니라 비언어적인 표현도 중요한 역할을 합니다. 여러분이 사용하는 말뿐만 아니라 표정, 목소리의 강도와 톤, 소리의 빠르기, 제스처 등도 의사소통의 일부입니다. 사람들이 대화를 할 때, 실제로는 언어적인 표현보다 비언어적인 표현이 더 큰 비중을 차지한다고 합니다.

예를 들어, 여러분이 어떤 대화 방식을 선택한다고 가정해보겠습니다. 핸드폰이라는 매체에서 대화를 할 때에도 여러 옵션이 있습니다. 텍스트 메시지, 전화, 영상 통화 등이 있을 것입니다. 이러한 방식으로 대화를 할 때, 언어적인 표현보다는 비언어적인 표현이 더 많이 소멸됩니다. 텍스트 메시지에서는 표정과 목소리, 소리의 크기나 빠르기와 같은 비언어적인 표현이 빠지는데, 그 부분을 대신하는 것이 이모티콘입니다.

이모티콘 없이 순수한 텍스트만으로 메시지를 보내면, 받는 사람은 보내는 사람의 감정이나 의도를 제대로 파악하기 어려울 수 있습니다. 전화로 대화를 할 때는 상대방의 목소리를 들을 수 있으므로 어떤 정보나 강조를 얻을 수 있습니다. 그리고 영상 통화에서는 언어적인 표현 이상으로 직접적인 표정을 보며 더 정확한 의사소통을 할 수 있습니다. 물론 직접 만나 대화할 때는 대화 상대의 분위기와 느낌을 직접 체감할 수 있어 중요한 회의나 만남은 대부분 직접 대화로 이루어집니다.

따라서, 영어를 배우기 전에 우선적으로 습득해야 할 것은 바로 바디 랭귀지입니다. 이런 비언어적인 표현이 의사소통에서 차지하는 큰 비중을 명확히 이해하시면 좋겠습니다. 영어를 듣기 위해서는 음성 매체를 계속해서 듣는 것만으로는 충분한 도움이 되지 않을 수 있습니다. 가장 추천하는 것은 실제로 상호작용할 수 있는 환경에서 사용하는 것입니다. 그렇지 않은 경우라면 적어도 영상 매체를 통해 비언어적인 표현을 포함한 영어를 접하며, 그것을 통해 영어라는 언어의 기초를 다지는 것이 좋습니다. 조금씩 익히고 여러 단어들을 조합하여 문장을 만들어 나가면, 영어 학습의 기초를 마련하실 수 있을 것입니다.

근데 저는 단어를 정말 모르는데요?

그런데 저 또한 여러 단어를 잘 모릅니다. "선생님, 영어 단어 암기가 정말 어렵습니다. 단어 공부를 어떻게 해야 할까요?" "저도 단어 암기를 잘 못해요. 그래서 잘 쓰지 않는 단어는 거의 사용하지 않아요."

많은 우리 나라 사람들은 아직도 시험 영어에서 나오는 단어들이 중요하다고 생각하여 외우는 것이 필요하다고 얘기합니다. 물론 시험에서 좋은 성적을 받고자 한다면 해당 단어들을 전부 기억하고 능숙하게 사용할 수 있어야 합니다.

과거 영어 단어 자료를 찾아보다가 이런 내용을 읽었습니다. 옥스포드 영어 사전에 수록된 단어는 약 30만 개이며, 미국에서 사용되는 영어 단어는 약 100만 개라고 합니다. 하지만 미국이나 영국 실생활에서 사용되는 단어는 약 5,000개 정도로 알려져 있으며, 비즈니스 중심으로 활동하는 핀란드 사람들은 약 2,000개의 단어로 일상 대화를 나눈다고 합니다.

우리나라에서 말하는 2,000개 정도의 단어 수준을 살펴보면 "each", "early", "earn" 등의 단어가 있습니다. 이 정도의 어휘 수준이라면 이러한 단어부터 익히는 것도 좋은 선택입니다. 우리 중학생들이 배우는 단어들을 통해 일상 대화를 나누는 것이 가능합니다. 그럼에도 불구하고 우리는 수능이나 토익 등을 위해 더 많은 어휘와 어려운 문법을 학습하며 스트레스를 받아왔습니다.

여러분이 현재 가지고 있는 어휘만으로도 해외 친구들과 일상 대화를 나눌 수 있을 것입니다. 물론 자연스럽고 순조로운 대화는 아니겠지만, 기본적인 대화는 가능할 것입니다.

먼저 단어를 구사하는 연습을 하고, 이를 문장으로 만들어보는 연습을 한 뒤에 더 정교하고 간결한 문장 구성과 어휘 습득을 목표로 하시면, 영어 공부에 대한 스트레스를 덜고 진행할 수 있을 것으로 생각합니다.

넷플릭스로도 영어공부 된다면서요?

네, 넷플릭스를 통해 영어 공부를 할 수는 있습니다. 그러나 당신처럼 이미 강한 의지력을 가진 분께서는 이미 다양한 시도를 해보셨을 것으로 예상됩니다. 넷플릭스를 통해 내가 좋아하는 연예인을 계속해서 관찰하면서 공부하는 것은 유용한 방법입니다.

그렇지만 개인적으로 이 방법은 추천하지 않습니다. 그 이유는 두 가지입니다. 첫째, 이 방법은 재미가 없거나 지루할 수 있어서 빠르게 포기하거나, 재미있어서 영어 공부를 놓치게 될 가능성이 높습니다. 둘째, 영어에 능숙한 이해력이 있어야만 미드를 이해하고 즐기는 데 어려움이 없습니다.

말씀드렸던 비언어적인 표현과 귀에 들리는 영어 사이의 연결을 찾아내어 단어와 표현을 습득해야 합니다. 그러나 신속한 대화와 다양한 어휘를 사용하는 미드와 넷플릭스는 영어 공부 초보자에게는 어려울 수 있습니다. 미드와 넷플릭스는 교육적인 목적으로 만들어진 것이 아니기 때문에 학습 시작이 어려울 수 있습니다.

또 다른 가능성은 여러분이 이미 넷플릭스 등의 유료 서비스를 사용하고 있는 상황에서, 영어 공부 목적으로 이를 활용하게 되면 한국어 자막을 사용하게 될 가능성이 큽니다. 이러면 결과적으로는 영어 공부보다는 그냥 미드 시청이 될 가능성이 높습니다.

물론, 한국어 자막 없이 미드를 시청하며 스스로 도전하는 것도 가능합니다. 그런 경우에는 추천할 만 합니다. 그러나 여전히 초보 수준이라면 보다 낮은 수준의 콘텐츠부터 시작하는 것이 좋습니다.

저 역시 그렇게 시작했습니다. 대학교 교육을 마친 저조차 "I'm a boy."와 같은 문장이 제 수준이었습니다. 이해하고 넘어갈 수 있는 수준의 동화나 그림책으로 시작한 후, 단계적으로 어려움을 높여나가는 것이 좋습니다.

첫 단계를 재미있고 부담 없이 시작하시길 권합니다. 본인의 이해 수준에 맞는 동화나 노래 등으로 시작하여 성취감을 얻고, 이를 통해 흥미를 유지하는 것이 중요합니다.

실전으로 가기 전 마지막 준비

제 당신은 실전에 들어가기 전에 필요한 다양한 준비를 하고 있습니다. 마지막 단계에 들어가기 전에 전체적인 내용을 다시 한번 복습하고자 합니다. 실전에 나설 이유를 명확하게 정의하고, 영어 학습을 아이처럼 처음부터 차근차근 시작할 준비를 하시는 것이 중요합니다. 또한 영어 단어의 글자 자체보다는 그 의미를 소리와 표정을 통해 파악하여 배워 나가는 방법을 활용해야 합니다.

이제 마지막 준비에 대해 조금 더 이야기하겠습니다. 여러분이 얼마나 투자할 수 있는지, 돈과 시간을 어떻게 사용할 것인지 고려해보십시오. 투자는 돈일 수도 있고 시간일 수도 있습니다.

시간이 부족하지만 빠른 발전을 희망하여 다른 사람의 도움을 받을 수도 있으며, 시간은 오래 걸릴지라도 혼자서 노력해보고 싶은 경우도 있을 것입니다.

여기서 제가 주식이나 코인 투자를 권장하는 것은 아닙니다. 당신의 상황과 목표에 맞게 어느 정도 투자할 수 있는지, 노력을 얼마나 할 수 있는지를 고려하십시오. 어느 정도의 투자가 당신에게 가장 적합한 방법인지 생각하는 것이 중요합니다.

요즘은 주식이나 코인에 투자하는 분들도 자신의 상황에 맞게 얼마를 투자할지를 결정합니다. 마치 그와 비슷하게, 영어도 긴급하고 필요한 상황이라면 많은 시간과 노력을 투자해야 할 것이며, 여유롭게 진행하고자 한다면 남은 시간을 활용할 수 있을 것입니다.

그러나 주식이나 코인과는 다르게 이 투자는 절대로 손해를 보지 않습니다. 노력을 하지 않고 돈과 시간만 낭비했다고 느끼시는 분들은 지금 당장 공부를 중단하고 환불을 고려하시길 권합니다. 그러나 당신이 이미 투자하고, 노력 준비가 되어 있다면 다음 단계에서 실질적인 도움을 받아 더욱 효율적으로 학습하실 수 있도록 지원해 드리겠습니다.

PART 4

이제는 실천의 영역으로

첫 시작은 재미있게 해봅시다

첫 시작을 재미있게 만들어보겠습니다. 당신과 함께 영어를 공부하는 분들 중에서 많은 분들이 이런 대화를 나누곤 합니다.

"선생님, 저는 영어를 정말 싫어하고 너무 어려워요. 어떻게 하면 영어를 재미있게 배울 수 있을까요?" "영어가 재미없는 이유가 공부하기 싫어서 그런 거죠?" "네... 항상 시험 준비를 위해 공부하다 보니까 재미가 없어요." "그렇다면 외국 배우 중에서 좋아하는 배우가 있나요?" "네, 톰 홀랜드요. 스파이더맨이 너무 멋있어 보여요." "아, 그래요? 예전에 톰 홀랜드와 크리스 프랫이 TV 쇼에서 대화한 영상이 있는데, 한 번 보세요. 그런데 자막 없이 봐도 어느 정도 이해할 수 있을 겁니다! 톰 홀랜드가 정말 귀

엽게 나와요."

왜 갑자기 스파이더맨에 대한 이야기가 나왔는지 궁금해 하실 수도 있겠습니다. 이유는, 영어를 싫어하고 어려워하는 이유는 지금까지 내가 이해하지 못하는 수준의 영어를 계속 배워왔기 때문입니다. 어떤 활동이든, 스포츠든, 공부든, 어느 정도의 성취를 느꼈을 때 그 다음 단계로 나아갈 수 있을 것입니다. 그러나 영어 공부는 그 성취감을 느끼기도 전에 더 어려운 문제와 복잡한 문법으로 여러분을 계속 괴롭혔던 것입니다.

그러나, 내가 좋아하는 영어를 사용하는 외국 배우가 내가 이해할 수 있는 정도의 문장을 사용하는 영상이 있다면 어떨까요? 혹은 영어 원서를 주어와 동사 분석 없이 마치 한국어 소설을 읽듯이 읽어 나갈 수 있다면? 여러분은 그 순간 조금의 희열을 느끼기 시작할 것입니다. 이 첫번째 단계가 바로 흥미를 가질 수 있는 것입니다.

당신이 좋아하는 사람을 생각해보세요. 그 사람과 함께라면, 그 사람과 이야기하고 싶어하며, 더 알고 싶어하는 마음이 들 것입니다. 그래서 내가 좋아하는 배우나 캐릭터의 영상을 보며 (내가 이해할 수 있는 수준의) 문장을 접하게 된다면, 조금씩 흥미가 생겨나게 될 것입니다.

그런식으로 흥미를 가지기 시작하면, 이전처럼 영어가 싫어지지 않고 점차로 내가 찾아서 공부하고 싶은 주제로 변할 것입니다. 이 과정을 거치면 영어와 조금 더 친해질 것이며, 내가 배운 것들을 활용하여 다른 사람과 이야기하고 싶은 욕구가 생길 것입니다. 그리고 다른 사람과의 대화에서 흥미로운 순간이 오게 될 때, 이전에 어렵고 싫어했던 영어가 그저 공부가 아닌 새로운 경험이 되고 더 큰 희열을 안겨줄 것입니다.

발음은 운동자세와 같다

발음은 운동 자세와 유사합니다. 운동 경험이 있는 분들은 알 겠지만, 자세가 시작부터 올바른 것이 얼마나 중요한지를 알 수 있습니다. 처음부터 올바르지 않은 자세로 시작했다면, 그 자세 를 다시 처음부터 고쳐야 할 수도 있으며 이는 꽤나 수고스러운 일입니다. 이전의 노력보다 힘들고 고생스러울 것입니다.

언어의 경우 발음 역시 이와 비슷한 역할을 합니다. 미국인처 럼 영국인처럼 멋진 발음을 갖는 것은 아마 좋겠지만, 여기서 언 급하는 발음은 단순히 우리가 소리를 내는 방법입니다. 영어에 는 한국어에 없는 소리들이 있어서, 그 소리들을 어떻게 내는지 배워야 우리가 그 소리를 사용하고 이해할 수 있게 됩니다.

예를 들어 우리의 성씨를 들어보겠습니다. 가장 흔한 성씨인 김을 영어로 번역하면 "Kim"이라고 됩니다. 우리의 'ㄱ' 소리가 그 나라 언어에서 'ㅋ'으로 바뀌어 소리나게 될 것 같지만, 여기에는 조금 더 깊은 원리가 있습니다.

영어의 'G' 소리는 목소리가 나는 소리이기 때문에 'ㄱ' 소리보다 목소리를 더 내어야 합니다. 그렇지만, 우리가 이 소리를 발음할 때 우리 목소리의 진동을 없애고 '김'이라고 발음하는 것으로 충분합니다. 이렇게 하면 원어민의 귀에는 우리 목소리의 진동을 덜 내어서 듣기 때문에 가장 가까운 소리인 'K'로 들린다고 합니다. 그래서 우리 성씨가 영어권에서 'Kim'으로 바뀌게 되는 것입니다.

이런 현상을 통해 알 수 있듯이 알파벳 소리 하나를 제대로 내는 방법을 익혀야 합니다. 또한, 한국어에 없는 소리 3가지가 있음을 알아두어야 합니다. 새소리, 뱉는소리, 울리는소리입니다. 이런 소리들을 올바르게 내는 법을 배우면 영어권 사람들의 발음을 더 잘 이해할 수 있으며, 내가 말하는 것도 더 명확하게 전달할 수 있습니다.

또한 한국어에서 띄어쓰기가 문장을 읽을 때 중요한 역할을 하는 것처럼, 영어에서도 억양의 차이가 중요한 역할을 합니다. 같은 단어라도 억양을 다르게 하면 완전히 다른 의미로 들릴 수 있습니다. 억양을 활용하여 말할 때, 억양이 없는 것은 마치 문장에 쉼표가 없는 것과 같다고 생각할 수 있습니다. 정확한 억양을 활용하여 말하면 내가 전달하려는 의미가 상대방에게 정확하게 전달될 것입니다.

난 미국인이 아니잖아

나는 미국인이 아니라서, 다른 문화권에서 자란 사람들의 생각과 행동을 이해하는 것은 정말 어려운 일이라고 생각해요. 내 주변에 있는 사람들은 내가 자란 환경과 너무 달라서, 그들의 문화와 생각이 계속해서 나타나고 있어요. 때로는 우리가 어색하게 느끼는 것들을 그들은 당연하게 여기기도 하며, 우리는 생각하지 못한 부분을 자연스럽게 표현하고 행동하기도 해요.

언어는 문화를 음성이나 글로 표현하는 방법이라고 생각해요. 그렇기 때문에 우리가 이해하기 어려운 단어들의 모음이 나타날 수 있고, 다른 문화에서 사용하는 관용어구는 종종 우리 문화에서 이해하기 어려울 수 있어요. 이런 부분에서 "왜 이런 식으로 말하지?"라는 생각보다는 "그런 방식으로 표현하나보다"라고 가볍게 받아들이는 것이 중요해요.

원리와 원칙을 따라 공부하는 것은 정말 도움이 되요. 하지만 이런 부분은 단순한 언어적 지식을 넘어서 학문적인 영역으로 들어가기 때문에 필요한 부분만 선택적으로 익히는 것도 괜찮아요.

만약 궁금하다면 그 나라의 역사를 알아보는 것도 큰 도움이 될 수 있어요. 예를 들어 'Berserk'라는 단어는 북유럽 언어에서 유래되었는데, 바이킹들의 역사와 관련이 있어요. 그들은 환각 작용을 일으키는 독버섯을 사용해 고통을 덜 느끼고 공포심을 줄이며 전투에 참여했던 시기가 있었답니다.

이런 식으로 단어와 표현의 유래를 이해하는 것은 언어를 더 잘 이해하고 활용하는 데 도움이 됩니다. 그리고 문화적 배경을 알면 어떤 단어나 표현의 의미를 더 깊게 이해할 수 있어요.

다른 문화의 차이를 이해하면서 언어를 배우는 것은 자연스러운 대화와 문화 간의 이해를 높여줍니다. 이를 통해 보다 효과적으로 의사소통하고 서로 다른 관점을 이해하는 데 도움을 주며, 다양한 문화를 존중하며 언어를 배우는 경험을 풍부하게 만들어 줄 거예요.

영어를 익히게 되는 과정

영어를 습득하는 과정은 인풋과 아웃풋의 두 가지 영역을 통해 진행됩니다. 인풋은 다른 사람이 만든 언어적 정보를 습득하는 과정을 의미합니다. 이는 영어로 작성된 문장을 읽거나 듣는 것을 포함합니다. 듣기와 읽기는 이 인풋 과정에서 중요한 역할을 합니다.

아웃풋은 자신이 언어를 사용하여 정보를 생산하는 과정을 의미합니다. 이는 말하기와 쓰기를 포함합니다. 말하기는 언어를 사용하여 다른 사람에게 정보를 전달하는 것이며, 쓰기는 글을 써서 다른 사람이 읽을 수 있게 만드는 것을 말합니다.

인풋 과정은 다른 사람이 만든 문장을 읽거나 듣는 것으로, 외부에서 정보를 받아들이는 과정입니다. 예를 들어 책을 읽거나 영어 듣기를 통해 다양한 문장과 표현을 접하게 됩니다. 이렇게 얻은 정보들은 아웃풋 과정에서 활용됩니다.

아웃풋 과정은 자신이 언어를 사용하여 정보를 생성하고 표현하는 과정입니다. 말하기는 상황에 맞게 단어와 구문을 조합하여 의사소통을 하는 것이고, 쓰기는 글을 통해 생각을 정리하고 전달합니다. 아웃풋을 통해 얻은 결과물은 다시 피드백을 받을 수 있으며, 이를 통해 언어 습득 능력을 향상시킬 수 있습니다.

이러한 인풋과 아웃풋의 과정을 통해 언어 습득이 이루어집니다. 인풋을 통해 언어적 자료와 정보를 수집하고, 이를 아웃풋에서 활용하여 실제 상황에서 언어를 사용할 수 있는 능력을 키워나갑니다. 이런 반복적인 과정을 통해 언어 습득의 속도와 품질이 향상되며, 피드백을 통해 자신의 발전을 지속적으로 평가하며 더 나은 언어 사용 능력을 발전시킬 수 있습니다.

PART 5

공부하는 방법을
알려드릴게요

엉망진창 대화하기

"엉망진창 대화하기"라는 방법은 영어를 배울 때 사용할 수 있는 접근 방식 중 하나입니다. 이 방법은 실제 대화를 통해 언어를 익히려는 시도를 의미합니다. 이런 방식을 통해 많은 언어 학습자들은 빠르게 발전할 수 있습니다.

영어 학습을 위해 우선적으로 인정하는 것은 오류를 범할 수 있다는 점입니다. 많은 경우, 우리는 완벽한 영어를 구사할 수 없을 것입니다. 그러나 영어 학습자로서, 오류를 범하더라도 걱정할 필요는 없습니다. 다른 사람들은 여러분이 틀렸다고 해서 비난하지 않습니다. 실수를 통해 더 많은 것을 배울 수 있기 때문에, 여러분은 자주 말하고 틀릴 수 있어야 합니다. 이를 통해 어느 부분에서 아직 부족한지 파악할 수 있습니다.

한 가지 주목할 점은, 한국어로는 잘 대화할 수 있는 능력이 있더라도 영어로 대화할 때는 어색할 수 있다는 것입니다. 이는 한국어로만 익숙한 표현과 뉘앙스를 영어로 옮기는 것이 어려울 수 있기 때문입니다. 이런 어색함을 극복하려면 말하기와 듣기에 노력을 기울여야 합니다.

원어민과 대화하는 것이 영어 학습에서 가장 효과적인 방법 중 하나입니다. 이는 자연스럽게 영어를 사용하면서 언어를 익히는 과정과 유사합니다. 처음에는 간단한 문장부터 시작하여 긴 문장으로 발전해 나갈 수 있습니다. 오랜 기간 동안 대화하면서 얻게 되는 경험은 눈에 띄는 언어 습득을 이루게 할 것입니다.

계속해서 대화를 시도하고 실력을 향상시킨 후에는 대화한 내용을 정리하는 것이 좋습니다. 녹음하거나 녹화하여 나중에 되돌아보면서 어떤 부분을 개선해야 할지 확인할 수 있습니다.

하지만 중요한 점은, 처음에 완벽하게 대화하지 못하더라도 괜찮다는 것입니다. 어색하거나 틀릴 수 있지만, 그것이 발전을 위한 필수적인 단계입니다. 여러분은 조급하게 완벽한 대화를 기대하지 않아도 됩니다. 지속적인 노력과 경험을 통해 영어 실력을 향상시키고, 자신의 발전을 지속적으로 평가하면서 나아갈 수 있을 것입니다.

꺼진 불도 다시 보자

공부를 해본 분들이 모두 공감하는 것들이 있습니다 실제로 실천하기는 매우 어려운 작업이 있는데요, 바로 복습입니다. 복습은 할 때마다 귀찮아져서 제대로 하지 않게 되거나, 언제가 가장 효율적인 타이밍인지 판단하기 어려운 경우도 있습니다. 저는 에빙하우스의 망각 곡선을 통해 복습의 시기를 파악하게 되었습니다.

보통 사람들은 정보를 접한 뒤 18분이 지나면 약 50%의 정보를 잊어버린다고 합니다. 그리고 24시간이 지나면 정보의 30% 정도가 사라진다고 하네요. 두 번째 복습을 하게 되면 약

일주일 동안 정보가 유지되며, 세 번째 복습은 한 달 동안 지속될 수 있다고 합니다. 그리고 네 번째 복습은 약 3달 동안 효과가 있다고 하며, 다섯 번째 복습은 거의 정보가 사라지지 않는다고 볼 수 있습니다.

그렇기 때문에 정보를 듣자마자 그 자리에서 다시 한 번 정보를 재확인하며 내 기억 속에 저장하는 것이 가장 효과적입니다. 그리고 다음 날 같은 시간에 복습하고 주말에는 배운 내용을 정리하는 것이 좋습니다. 주중에 주기적으로 3번의 영어 수업을 듣는다면, 이런 방식의 복습을 통해 엄청난 학습 효과를 얻을 수 있을 것입니다.

에빙하우스의 망각 곡선을 따르면 3달 후에 복습했을 때 약 70%의 효율을 얻을 수 있으며, 그 시기를 놓쳤을 때에도 약 30%의 효율을 누릴 수 있습니다. 여러분이 가져야 할 작은 습관 하나가 시간과 노력을 효율적으로 투자하는 큰 변화를 가져올 수 있는지, 아니면 다시 포기하게 될지는 이것에 달려있습니다.

또한, 복습할 때 가장 추천하는 방법 중 하나는 이전에 녹음하거나 녹화한 것을 다시 보는 것입니다. 자신이 이야기한 부분을 되새기면서 이해하지 못한 부분을 파악하고, 부족한 부분을 채워나가는 것이 중요합니다. 이런 피드백을 통해 여러분의 정보의 책장은 더욱 완벽하고 정돈된 상태로 발전할 것입니다.

모방은 창조의 어머니

우리의 아웃풋을 조금 더 제대로 되는 방향으로 가게 하는 방법은 바로 쉐도잉 학습법입니다. 이 학습 방법은 우리가 쉽게 접하지 못하는 비 언어적인 표현을 같이 익힐 수 있는 부분이 여러분의 학습에 큰 도움이 됩니다. 말씀드렸던 소리를 내는 방법과 억양을 정확하게 표현하는 매체를 통해서 습득하는 것이 가장 좋을 것이라고 생각합니다.

제가 말씀드리는 쉐도잉 학습법에서는 한가지 조건이 추가로 들어갑니다. 내가 따라 할 수 있는 혹은 이해할 수 있는 정도의 수준을 가지고 공부하도록 해야합니다. 앞서 이야기 드렸던 넷플릭스를 다시 이야기 하면 내가 따라가지 못하는 수준의 인풋으로 여러분이 공부를 하게 되었을 때 큰 도움이 되기 보다는 여러분을 지치게 만들 수 있습니다. 때문에 여러분이 가져가는 쉐도잉 매체는 꼭 여러분의 수준을 고려해서 준비하셔야 합니다.

쉐도잉 학습법에 대한 설명을 드리면 우선 내가 귀로 듣자마자 말로 뱉을 수 있는 수준의 책을 선정 하신 뒤에 쉐도잉을 아래 순서에 맞게 진행합니다. 첫번째는 영어로 적혀있는 글자와 음성 매체를 동시에 들으면서 내가 입으로 따라서 말합니다. 그 뒤에는 영어로 적혀있는 글자를 보지 않고 혹은 가린 뒤에 음성 매체를 통해서 들리는 영어발음과 억양을 그대로 따라하시면 됩니다. 그리고 마지막으로 처음에 진행했던 글자를 보면서 음성 매체를 보고 듣고 다시 말하면 됩니다.

이런 과정을 거쳐서 여러분은 소리 감각을 제대로 익힐 수 있습니다. 소리 감각에서는 앞서 소개해 드렸던 발음을 내는 소리의 방법과 문장을 말 하거나 읽을 때 영어권 사람들이 이야기 하는 억양을 말합니다. 이런 방법으로 소리 감각을 익히면 내가 듣기를 할 때 우리가 가장 못하는 발음 과 억양, 연음 등을 제대로 알 수 있습니다.

　이렇게 다른 사람이 만들어 놓은 매체를 여러분의 아웃풋을 하는 가이드 라인으로 삼고 진행하면 굉장히 좋습니다. 교육용으로 만들어진 여러가지 매체를 통해서 기초를 쌓은 뒤에 내가 좋아하는 배우의 발음과 억양을 따라하면서 소리 감각을 익히는 것도 굉장히 좋습니다.

티끌모아 태산

"티끌 모아 태산"은 여러분이 가장 싫어하는 속담이죠. 현대 사회에서는 티끌을 모아도 결국에는 그저 티끌일 뿐이라는 생각을 할 수 있겠지만 교육 분야에서는 이는 결코 맞지 않는 주장입니다. 교육에서 얻을 수 있는 결과는 여러분의 노력에 비례하여 나타납니다. 그렇기에 여러분이 조금씩 익히는 이 작은 부분들이 앞으로 여러분을 원어민과 동일한 수준에서 대화할 수 있는 사람으로 만들 수 있다고 생각합니다.

언어에서의 '티끌'은 문장의 다양한 표현들을 익히는 부분입니다. 이미 인터넷 매체에서는 쉽게 접할 수 있는 일상적인 표현들이 여기에 포함됩니다. 비유적으로 말하자면, 매일 길거리에

떨어진 500원 동전을 주워가는 일과 같습니다. 그러나 이 작은 500원으로 현재 우리가 할 수 있는 일은 제한적입니다. 그래서 많은 사람들은 이 작은 노력을 굳이 하지 않으려 합니다. 그러나 우리의 상황은 다릅니다. 이 작은 500원이 없으면 아무 것도 할 수 없는 사람들입니다. 따라서 여러분은 길거리 곳곳에서 찾아 낼 수 있는 이 작은 500원짜리들을 계속해서 모아나가서 무엇 인가를 할 수 있는 금액으로 만들기를 목표로 가져야 합니다.

이렇게 하나씩 익히는 영어의 데일리 표현들을 여러분이 얻어 서 조금씩 배워나간다면 여러분의 기초는 무의식적으로 완성 단 계로 나아가며, 이 기초 위에 여러분은 다양한 행위들을 할 수 있 게 될 것입니다. 이 기초가 마련된 땅 위에 여러분은 건물을 지을 수도 있고 공원을 만들 수도 있으며, 나아가 내가 살 집까지 만들 수 있을 것입니다.

매일 얻어가는 이 티끌같은 표현들이 어떤 효과를 가져오는지 이야기하도록 하겠습니다. 이전에 언급한 대로, 외국인이 실제 일상에서 사용하는 영어 단어 수는 약 2,000개 정도로 알려져 있습니다. 데일리 표현에서 사용되는 단어 수는 평균적으로 3개 정도입니다. 하루에 한 개의 데일리 표현만 익힌다 해도 2년 내 에 약 2,000개의 단어를 배울 수 있으며, 이를 통해 실제 상황에 서 많이 쓰이는 다양한 단어들을 습득할 수 있습니다.

이 학습 방법을 통해 해외에서 다른 사람과 대화하는 것이 2년도 걸리지 않는다고 생각하시면 막대한 효과를 얻을 수 있을 것입니다. 이 작은 '티끌들'을 단순히 모으는 것으로 머물지 않고, 이를 활용하여 한 단계 더 나아가는 학습 방법을 추가한다면 효과는 배로 늘어날 것입니다.

영어와 한 약속

우리 나라 사람들에게는 문법이 가장 중요한 영역 중 하나입니다. 올바른 문법으로 말해야 한다는 생각이 깊게 뿌리박혀 있어서, 문법 오류를 피하기 위해 말을 하지 못하는 경우가 많습니다. 말하는 도중에 문법적인 실수가 있을 경우 창피함을 느끼게 되어 많은 분들이 문법을 배우고 정확하게 대화하려는 노력을 기울이고 있습니다.

한국어로 다시 돌아와서 우리와 대화를 나누어보면, 아직도 우리는 한국어 문법을 완벽하게 숙지하지 못하며 대화에서도 문법 오류를 종종 접할 수 있습니다. 그러나 기본적인 부분을 넘어서는 경우에는 우리가 실수를 알아차리지 못한 채 대화를 나누는 경우도 있습니다. 예를 들어 '나너본지한달다되감' 이라는 문장을 올바른 문법에 맞게 재배치하면 '나 너 본 지 한 달 다 되 감'으로 모든 단어 간 띄어쓰기가 이루어져야 합니다.

아직 우리는 문법의 영역에서 충분한 지식을 보유하지 못한 상태입니다. 그런데도 불구하고 어려운 외국어에서 문법 오류를 피하며 말하려는 시도는 정말 어려운 일입니다. 여러분은 영어 전문가가 아닙니다. 따라서 실수를 해도 이를 인정하고 올바르게 고친 후에 복습하여 향후에 같은 실수를 반복하지 않도록 하면 됩니다.

문법은 언어의 나중에 나온 약속입니다. 언어는 소리와 글로 정보를 전달하는 수단이며, 사람들이 공통적으로 의사소통을 원활히 하기 위해 고안한 규칙입니다. 처음부터 모든 규칙을 완벽히 준수하지 않는다 해서 큰 벌을 받지는 않습니다. 여러분은 입문자로서 여유를 가지고 약속을 어길 수 있습니다. 그러나 그 약속을 지키려는 노력을 계속하면서 처음 만나는 사람들과도 이 약속을 기반으로 대화하며 정보를 교환하시면 됩니다.

만학도가 되어 방학숙제 하기

   뒤늦게 영어를 공부하게 되는 만학도로서 여러분은 지금부터 영어를 배우는 마음가짐을 가지시는 것을 추천합니다. 만학도로서 영어를 배우는 분들 중에는 늦게 시작하지만 차근차근 학습하며 발전하는 분들이 많습니다. 다른 사람들과 함께 공부하기가 어렵고 힘들다는 것을 인정한 후에 어려운 부분을 꼼꼼하게 복습하여 이해하고자 하는 노력을 기울입니다. 이렇게 간절함을 가지고 열심히 공부하고 계십니다.

   여러분이 만학도로서 추구하는 방법은 매일의 학습을 토대로 나만의 기록을 남기는 것입니다. 배운 내용을 활용하여 영어 문장을 구성해보는 것입니다. 이런 식으로 말하면서 공부하면 여러분의 언어 아웃풋이 더욱 자연스럽게 다듬어질 수 있습니다. 이런 연습을 통해 여러분은 점점 더 정교한 문장을 만들 수 있는 능력을 키우게 될 것입니다. 이러한 영작 연습은 여러분의 문장 구성 능력을 향상시키는 데 도움을 줄 것입니다.

단, 이러한 영작 연습은 긴 에세이를 쓰는 것이 아닌 간단한 문장 하나씩을 쓰는 것입니다. 혼자서 이 방법을 진행하기에는 어려울 수 있습니다. 따라서 가능하다면 다른 사람의 피드백을 받아볼 수 있는 환경이 있다면 좋습니다. 혼자서 진행하는 경우에는 시간이 많이 걸릴 수 있습니다. 하지만 가능한 방법 중 하나로, 영어로 쓰고자 하는 문장을 먼저 작성한 후에 해당 문장을 한국어로 다시 작성하고 번역기를 활용하여 비교하는 방법이 있습니다.

또한, 이러한 연습을 완전히 자유롭게 진행할 수 있는 방법은 아니지만, 여러분의 가능성을 최대한 활용하는 한 가지 방법입니다. 본인의 여건과 상황에 따라서 선생님의 도움을 받는 것이 가능하다면 그런 선택도 고려해볼 만합니다. 또한, 말씀드렸던 것처럼 영작한 내용과 번역기 결과물을 비교하며 점차 스스로의 수준을 높여나가는 것도 좋은 방법입니다.

여기서 더 나아가 수행할 수 있는 발전된 방법은 일기를 쓰는 것입니다. 이는 영어로 겪은 일들을 기록하면서 영어로 생각하고 표현하는 연습을 통해 가능합니다. 개인적인 경험을 토대로 영어 문장을 작성하면, 보다 자연스럽게 이야기할 수 있으며, 여러가지 상황을 가정하는 부분이 제외되어 더 쉽게 작성할 수 있습니다.

이러한 과정을 통해 계속해서 아웃풋을 다듬어 나간다면 여러분은 영어를 마스터하는 길을 열 수 있습니다. 영어 듣기, 한국어로 해석하기, 한국어 대답을 영어로 번역하기라는 과정을 거치면서 영어를 듣고 이해하는 과정이 단계적으로 줄어들어 영어로 자연스럽게 대화할 수 있는 능력을 키우실 수 있을 것입니다. 이러한 연습을 통해 더 많은 정보를 빠르게 습득하는 데 도움이 되는 중요한 스킬을 얻게 될 것입니다.

PART 6

동기부여가 떨어져요

사람은 잘 안변해요

동기부여가 떨어지는 것은 자연스러운 현상입니다. 어떤 일을 시작할 때 우리는 보통 동기부여가 높은 상태에서 시작하게 됩니다. 이 때 우리의 판단은 주로 감정보다는 이성적인 판단에 의해 이루어지는 경우가 많습니다. 그러나 실제로는 우리의 결정은 감정이 큰 영향을 미친다고 합니다. 사람들은 기분이 오랫동안 지속되지 않는다는 사실을 알고 있습니다. 사랑도 영원히 지속되지 않는다는 것을 생각하면, 지금까지의 생활 습관을 바꾸는 것은 꽤 어려운 일입니다.

우리는 유전자를 가지고 있는데, 이 안에는 엄청난 양의 정보가 저장되어 있습니다. 인류의 진화 과정에서 쌓인 많은 정보들이 우리의 본능에 반영되어 있으며, 그 중에는 안전을 추구하는 본능이 큰 역할을 합니다. 우리는 안전한 상태에서 존재할 때 안정감을 느낀다고 합니다. 변하지 않는 것에서 익숙함을 찾고 그것을 안전하다고 감지합니다. 이는 생존 본능과 연관이 있는 것으로 보입니다.

하지만 우리가 지금 하는 것은 조금씩 변화하는 것을 목표로 배워나가는 것입니다. 그러므로 우리의 몸은 이러한 변화에 대해 거부감을 느끼며 저항합니다. 우리는 본능을 이기는 능력을 가지고 있지만, 외부의 저항은 크며 내부에서도 스스로를 도전하긴 어려운 일입니다. 따라서 에너지를 아끼기 위해 가만히 있는 것이나, 변화하지 않는 것을 선택하는 것이 안전한 상태라고 볼 수 있습니다.

우리가 스트레스를 받을 때는 그 스트레스를 극복하기 위한 방법을 찾아야 합니다. 이를 위해 우리는 스스로 상을 줄 수 있거나, 스트레스를 관리해주는 도움을 주는 사람을 찾을 수 있습니다.

우리의 도전이 작심삼일이 되지 않도록 하는 가장 좋은 방법 중 하나는 내가 영어를 학습하고자 하는 열망을 가진다는 것을 도와줄 사람에게 먼저 이야기하는 것입니다. 모든 사람들이 배우는 것이 어렵다는 것을 알고 있습니다. 어려움을 이야기하면서 내가 실패하더라도 내가 못난 사람이 되는 것을 걱정하지 않아도 됩니다. 그렇게 하면 포기할 수도 있습니다. 그러나 포기하는 순간 영어를 다시 시작하기가 더 어려워지고 더 싫어지게 될 것입니다.

따라서 내가 영어를 학습하고자 하는 열망을 도와줄 조력자에게 먼저 이야기하는 것이 중요합니다. 그리고 이를 통해 내 정신 상태를 보다 나은 상태로 유지하는 것이 중요합니다.

다시 처음으로 돌아가서

운동선수나 사업가와 마찬가지로, 힘들 때 자신의 목표를 더 크게 바라보고 더 크게 잡는 것은 매우 중요합니다. 여러분은 영어 공부를 시작하기 전에 왜 영어를 배워야 하는지에 대한 구체적인 이유를 설정했습니다. 이를 통해 여러분은 목표를 설정하고 그 목표를 이루기 위해 열심히 노력하고 있습니다.

어려운 순간에 제가 자주 거울 속의 나에게 외쳤던 말이 있습니다. "나는 여기까지 오기 위해 여기까지 온 게 아니다." 예를 들어, 유학을 위해 영어를 공부하기로 결심한 적이 있었는데, 제가 설정한 목표에 도달하기 위해 1년이라는 구체적인 기간 동안 열심히 노력했습니다.

　물론 저도 평범한 사람으로서 여러 차례 포기하고 방황하려는 순간이 있었습니다. 처음에는 어려움에 맞서기 힘들었던 영어도 조금씩 배우면서 느낀 기쁨이 컸습니다. 그러나 여전히 앞으로의 길이 멀고 험한 것을 인식하지 않을 수 없었습니다. 그럴 때마다 "1년 안에 외국인과 대화할 수 있는 영어 실력을 가진다"라는 목표를 더 크게 설정했습니다. 더 나아가 "1년 안에 외국인과 대화할 수 있는 영어 실력을 가지는 것은 물론이고, 교포로 오해받는다"라는 목표를 더 크게 했습니다.

　저는 내 목표가 너무 작아서 어려움을 극복하지 못할 것 아닐까 생각하기도 했습니다. 그래서 목표를 더 크게 설정하고, 더 멀리 가야 할 길을 고려하며 더 구체적인 방향성을 찾아 다시 공부를 시작했습니다.

　여러분도 처음 설정한 목표와 그 목표를 위한 이유가 있을 것입니다. 이 목표는 단순히 시작을 위한 계기가 아니라 어려운 순간에 다시 일어서며 나아갈 동기가 될 중요한 연료입니다. 하지만 이 연료도 언젠가는 소모될 수 있습니다. 그럴 때는 연료를 다시 충전하는 것이 필요합니다.

　내가 설정한 목표를 크게 키워보고 더 큰 성과를 이뤄내기 위한 노력을 기울이는 방법도 있고, 목표를 현실적으로 설정하여 달성감을 얻는 방법도 있습니다. 어떤 방법을 선택하든 자신에게 맞는 방향으로 목표를 다시 설정하고 연료를 충전하여 더 나아가는 힘을 갖고 계속 나아갈 수 있을 것입니다.

저 사람은 빨리 느는데 전 늘지 않아요.

많은 사람들이 다른 사람과 자신을 비교하면서 공부를 진행하는 경우를 보입니다. 이런 비교로 인해 성장 속도가 다른 사람들과의 경쟁이나 자책, 자만의 감정을 느끼는 경우가 있습니다.

누군가 성장 속도가 매우 빠르다면, 그 속도에 따라 뒤처지는 자신을 보며 자책하는 경우가 있습니다. 또한 그 반대의 경우에는 자신을 여타 사람들과 비교하여 자만감을 느끼며 게으름을 피우는 경우도 있습니다. 여러분의 공부 목적은 다른 사람과 대화하기 위한 것이 맞습니다. 그러나 타인과의 비교는 여러분이 고려하지 않은 방향으로 나아가게 할 수 있습니다.

타인과 비교하며 자책하거나 자만하는 것은 여러분의 목표와는 관련이 없습니다. 진정한 성장은 어제의 자신보다 조금이라도 나아지는 것입니다. 타인과의 비교보다는 어제보다 성장했는지에 초점을 맞추어야 합니다. 만약 어제보다 성장하지 못했다면, 그 부분을 보완하고 더 나아지기 위해 노력한다는 의지를 가지고 공부를 진행하는 것이 좋습니다.

때로는 "목표가 크면 벽에 부딪힐 수 있다"라는 이야기를 듣기도 합니다. 현실적인 목표를 설정하면 더 현명한 선택일 수 있다는 주장도 있습니다. 그러나 제 경험과 학생들의 경험을 보면 목표가 크고 크다면 클수록 더 큰 동기부여와 열정을 가질 수 있다고 생각합니다. 예를 들어 세계 1위를 목표로 한다면 주변의 의문과 눈치를 의식하지 않고 최선을 다하게 됩니다. 큰 목표를 향해 노력하다 보면 그 목표를 달성하지 못하더라도 그 목표에 근접한 수준의 성과를 이뤄낼 수 있을 것입니다.

마지막으로, 저와 같이 공부하는 학생들은 처음에 꿈이라는 단어에 어색함을 느낄 수 있습니다. 하지만 시간이 흐르면서 자신의 성장을 통해 꿈을 가질 수 있는 행복과 기쁨을 느끼게 됩니다. 꿈을 향해 나아가는 것은 지금과 미래의 나를 비교하며 더 나은 방향을 찾아나가는 과정이며, 큰 목표를 향한 노력은 더 큰 성취감과 행복을 가져다 줄 것입니다.

진짜 용기 있는 사람들은

한국 사회에서는 보통 타인에게 빚을 지는 것을 꺼리는 경향이 보입니다. 이로 인해 자신의 부족함을 인정하고 타인의 도움을 청하는 일이 쉽지 않은 경우가 많습니다. 이런 상황에서는 자책감이나 나중에 도움을 되돌려주어야 한다는 부담감으로 인해 도움을 청하는 것이 어려워지곤 합니다.

그렇지만 용기 있는 사람들은 타인에게 도움을 청할 수 있습니다. 이는 망설이지 않고, 창피해하지 않아도 된다는 것을 의미합니다. 특히 영어를 배우려는 경우, 자신이 영어를 습득하고자한다는 목표를 이루기 위해 타인의 도움을 청하는 것이 중요합니다. 이렇게 도움을 청하며 여러분은 영어라는 큰 도구를 손에

넣을 수 있을 것입니다.

도움을 얻을 수 있는 방법은 다양합니다. 무료로 봉사 활동을 하는 사람들이 있을 뿐만 아니라, 전문적으로 영어 교육을 제공하는 사람들도 있습니다. 예를 들어, 제가 영어 교육을 업으로 하고 있어 제가 받았던 도움을 다른 사람들에게도 나누어 주고 있습니다.

제가 학생들과 상담할 때 항상 강조하는 점 중 하나는 영어 공부에 있어서 현실적인 목표를 설정하는 것입니다. 영어는 쉽게 얻을 수 있는 것이 아니며, 중간에 포기하는 것도 쉽습니다. 따라서 여러분은 시작하기 전에 목표를 현실적으로 설정하고 그에 따라 천천히 꾸준한 노력을 해야 한다는 것을 기억해야 합니다. 또한, 어떤 상황에서도 스스로 공부할 수 있는 최적의 조건을 만들어내는 것이 중요하며, 동기부여가 떨어질 때에도 이를 공유하고 도움을 청해야 다시 한 번 달릴 수 있는 힘을 얻을 수 있을 것입니다.

마지막으로, 여러분이 얻어야 할 영어 실력은 쉽게 얻을 수 있는 것이 아닙니다. 하지만 도움을 청하며 최선을 다하고 꾸준한 노력을 통해 그 목표를 달성할 수 있습니다. 타인의 도움을 청하는 것은 오히려 자신의 성장과 발전을 위한 중요한 한 걸음일 뿐입니다.

PART 7

책 다 읽었으면
가서 공부하세요

이거 하나만 기억하세요

이제 여러분은 영어 공부를 위해 다양한 방법과 접근법을 습득하셨습니다. 실제로 공부를 진행하는 방법과 공부를 시작하기 전에 필요한 마음가짐에 대한 이야기를 드렸습니다. 그렇게 공부를 시작했을 때, 어떻게 하면 중간에 포기하고 싶을 때에도 꾸준한 동기를 유지할 수 있는지에 대해서도 공유했습니다.

여러분은 영어를 배워야 하는 목적을 명확히 정립하고 그 목표를 달성하기 위한 계획을 세웠습니다. 이제 스타트 버튼을 누르며 여러분만의 학습 여정을 시작하실 것입니다. 시작하면서 체크해야 할 사항들과 어떤 내용부터 시작해야 하는지에 대한 감을 잡았을 것입니다. 그럼에도 어려운 부분이 있거나 혼란스

러울 때, 전문가의 도움이나 다른 도움말을 통해 더 큰 진척을 이루어가실 수 있을 것입니다.

이렇게 여러분은 영어라는 커다란 바다에 한 발을 내딛게 됩니다. 큰 바다에선 올바른 항로를 찾지 않고 헤엄친다면 빠르게 표류되어 막막함을 느낄 수 있습니다. 따라서 목표를 분명히 설정하고 그 방향을 따라 나아가는 것이 중요합니다.

이와 같은 체계적인 접근으로 여러분은 시작과 진행 방향, 그리고 어려운 순간에 도움을 줄 수 있는 사람들을 갖추고 나아가실 것입니다. 이런 시작이 성공적인 여정을 앞당기는 데 도움이 될 것이며, 여러분 스스로가 가져야 할 끈기와 열정을 더욱 강조해 줄 것입니다. 이 글은 단순한 문장을 좀 더 풍부하고 이해하기 쉽게 다듬은 이야기입니다.

'영어 공부는 여러분 개개인이 스스로 해야 할 것이며, 여러분 스스로 하지 않으면 발전하지 않을 것입니다.'

영포자에서 영어멘토까지

발 행 | 2023년 12월 28일
저 자 | 기네스
펴낸이 | 한건희
펴낸곳 | 주식회사 부크크
출판사등록 | 2014.07.15.(제2014-16호)
주 소 | 서울특별시 금천구 가산디지털1로 119 SK트윈타워 A동 305호
전 화 | 1670-8316
이메일 | info@bookk.co.kr

ISBN | 979-11-410-6213-2

www.bookk.co.kr